Goethe als Eisläufer

August Gassner

Goethe als Eisläufer

PETER LANG
Bern · Frankfurt am Main · New York · Paris

CIP-Titelaufnahme der Deutschen Bibliothek
Gassner, August:
Goethe als Eisläufer / August Gassner. - Bern ;
Frankfurt am Main ; New York ; Paris : Lang, 1990
ISBN 3-261-04153-6

Umschlag-Abbildung:
Wilhelm v. Kaulbach;
Goethe auf dem Main - Schlittschuhlaufend
(43x31 cm)
Das Original befindet sich im
Freien Deutschen Hochstift Frankfurt Goethemuseum.
Foto: Ursula Edelmann

Druck und Bindung: Weihert-Druck GmbH, Darmstadt

Ohne Schrittschuh und Schellengeläut
Ist der Januar ein böses Heut.

Goethe
„Jahraus, Jahrein“

I.

IN FRANKFURT UND MAINZ

Es ist ziemlich genau auszumachen, wann Goethe mit dem Eislaufen begonnen hat. Wie alle empfindsamen Seelen jener Zeit war auch Goethe in Straßburg, noch durch Herder bestärkt, begeistert von Klopstocks Oden, besonders von jenen, die den Eislauf verherrlichen:

> Vergraben ist in ewige Nacht
> Der Erfinder großer Name zu oft.
> Was ihr Geist grübelnd entdeckt,
> nutzen wir;
> Aber belohnte Ehre sie auch?
>
> Wer nannte dir den kühneren Mann,
> Der zuerst am Maste Segel erhob?
> Ach, verging selber der Ruhm Dessen
> nicht,
> Welcher dem Fuß Flügel erfand!

Und sollte Der unsterblich nicht sein,
Der Gesundheit uns und Freuden
erfand,
Die das Roß mutig im Lauf niemals
gab,
Welche der Rhein selber nicht hat?

Unsterblich ist dein Name dereinst!
Ich erfinde noch dem schlüpfenden
Stahl
Seinen Tanz! Leichteren Schwunges
fliegt er hin,
Kreiset umher, schöner zu sehn.

Du kennest jeden reizenden Ton
Der Musik, drum gib dem Tanz
Melodie!
Mond und Wald höre den Schall ihres
Horns,
Wenn sie des Flugs Eile gebeut.

O Jüngling, der den Wasserkothurn
Zu beseelen weiß und flüchtiger
tanzt,
Laß der Stadt ihren Kamin! Komm'
mit mir
Wo des Krystalls Ebene dir winkt!

Sein Licht hat er in Düfte gehüllt,
Wie erhellt des Winters werdender
Tag
Sanft den See! Glänzender Reif,
Sternen gleich,
Streute die Nacht über ihn aus.

Wie schweigt um uns das weiße
Gefild!
Wie ertönt dem jungen Froste die
Bahn!
Fern verrät deines Kothurns Schall
dich mir,
Wenn du dem Blick, Flüchtling,
enteilst ...[1]

Zurückgekehrt von Straßburg suchte Goethe im Schmerz über die Lage der verlassenen Friederike in körperlichen Übungen Hilfe, im Wandern, Fechten, Reiten und:

> ... besonders aber tat sich, bei eintretendem Winter, eine neue Welt vor uns auf, indem ich mich zum Schlittschuhfahren, welches ich nie versucht hatte, rasch entschloß und es in kur-

1 „Der Eislauf" (1764).

zer Zeit durch Übung, Nachdenken und Beharrlichkeit, so weit brachte als es nötig ist, um eine frohe und belebte Eisbahn mitzugenießen, ohne sich gerade auszeichnen zu wollen.

Diese neue frohe Tätigkeit waren wir denn auch Klopstocken schuldig, seinem Enthusiasmus für diese glückliche Bewegung, den Privatnachrichten bestätigten, wenn seine Oden davon ein unverwerfliches Zeugnis ablegen. Ich erinnere mich ganz genau, daß an einem heiteren Frostmorgen, ich aus dem Bette springend mir jene Stellen zurief:

Schon von dem Gefühle der Gesund-
heit froh,
Hab ich, weit hinab, weiß an dem
Gestade gemacht
Den bedeckenden Kristall.

Wie erhellt des Winters werdender Tag
Sanft den See! Glänzender Reif,
Sternen gleich,
Streute die Nacht über ihn aus!

Mein zaudernder und schwankender Entschluß war sogleich bestimmt, und ich flog sträcklings dem Orte zu, wo ein so alter Anfänger mit einiger Schicklichkeit seine ersten Übungen anstellen konnte. Und fürwahr, diese Kraftäußerung verdiente wohl von Klopstock empfohlen zu werden, die uns mit der frischesten Kindheit in Berührung setzt, den Jüngling seiner Gelenkheit ganz zu genießen aufruft, und ein stockendes Alter abzuwehren geeignet ist. Auch hingen wir dieser Lust unmäßig nach. Einen herrlichen Sonnentag so auf dem Eise zu verbringen, genügte uns nicht; wir setzten unsere Bewegung bis spät in die Nacht fort. Denn wie andere Anstrengungen den Leib ermüden, so verleiht ihm diese eine immer neue Schwungkraft. Der über den nächtlichen, weiten, zu Eisfeldern überfrorenen Wiesen aus den Wolken hervortretende Vollmond, die unserem Lauf entgegensäuselnde Nachtluft, des bei abnehmendem Wasser sich senkenden Eises ernsthafter Donner, unserer eigenen Bewegungen sonderbarer Nachhall, vergegenwärtigen uns Ossianische Szenen ganz vollkommen. Bald dieser, bald jener Freund ließ in deklamatorischem Halbgesange eine Klopstockische Ode ertönen, und wenn wir uns im Dämmerlichte zusammenfanden, erscholl das ungeheuchelte Lob des Stifters unserer Freuden:

Und sollte der unsterblich nicht sein,
Der Gesundheit uns und Freuden erfand,
Die das Roß mutig im Lauf niemals gab,
Welche der Ball selber nicht hat?[2]

Die erste schriftliche Äußerung Goethes zum Thema Eislauf finden wir in einem Jugendwerk, dem

„Concerto dramatico – composto dal Sigr Dottore Flamminio detto Panurgo secondo –

2 *Dichtung und Wahrheit* X/571 ff.

Aufzuführen in der Darmstädter Gemeinschaft der Heiligen."[3]

Darin heißt es (im Kampf gegen die Göttin Langeweile):

Capriccio con Variationi

Und will auf der Erde
Dumm stille nichts stehn,
Will alles herumi
Didumi sich drehn.

Var. 1

Seiltänzer und Jungfern
Studenten Husaren

---

3 IV/155, Goethe hat das spielerische Werkchen in keine Werksausgabe aufgenommen. Die Handschrift aus dem Jahre 1772 kam erst aus dem Nachlaß Friedrich Jacobis 1869 ans Licht Die „Gemeinschaft der Heiligen" ist Goethes Freundeskreis in Darmstadt (X/555). Diesem Kreis der „Empfindsamen" am Hof der „Großen Landgräfin" Karoline von Hessen-Darmstadt gehörten an: Karoline Flachsland, die Braut Herders („Psyche"), die Hofdamen v. Roussillon („Urania") und v. Ziegler („Lila"), der Prinzenerzieher Leuchsenring; oft war auch Merck beteiligt.

Geschwungen, gesungen,
Gestritten, gefahren.
In Lüften, der Erde,
Auf Wasser und Eis
Bricht eines sein Hälsli
Der ander Gott weis

Capriccio da Capo

Var. 2

Auf Schlittschuh wie Blize
Das Flüßli hina,
Und sind wir nun droben
So sind wir halt da.
Und muß es gleich wieder
Nach Heimä zu geh
Und tuht eim das Hüftli
Und Füesli so weh.

Capriccio da Capo.

Für den folgenden Winter haben wir in einem Brief an Kestner einen emphatischen Bericht Goethes über seinen Eislauf:

> ... und über das alles Schlittschuh Bahn herrlich, wo ich die Sonne gestern herauf und hinab mit Kreistän-

> zen geehret habe ... Es grüsen euch meine Götter. Namentlich ... der Bote Merkurius, der Freude hat an den schnellen, und mir gestern unter die Füse band seine göttlichen Solen, die schönen, goldnen, die ihn tragen über das unfruchtbare Meer und die unendliche Erde, mit dem Hauch des Windes ...[4]

Im Sommer des gleichen Jahres schreibt Goethe an den Leutnant Demars in Neu-Breisach:

---

4 Brief v. 5.II.1773 (Br. I/189). – „Meine Götter": die Gipsabdrücke der griechischen Götterstatuen in Goethes Mansarde. – Der Vergleich des Schlittschuhläufers mit Merkur geht auf Klopstock zurück, Merkurs „goldne Sohlen" und das Schweben mit dem Hauch des Windes über Meer und Erde ist Zitat aus Homer:

... Der rüstige Argosbesieger
Eilte sofort und band sich unter die Füße die schönen
Goldnen ambrosischen Sohlen, womit er über die Wasser
Und das unendliche Land im Hauche des Windes einherschwebt.

(Odyssee V. Gesang Vers 43 ff.).

> Wann wirst du wiederkommen wohltätiger Winter, die Wasser befestigen daß wir unsern Schlittschuhtanz wieder anfangen! Wann wirst du unsere Mädgen wieder in die Stuben iagen, dass wir uns an ihnen wärmen wenn Schnee und Reif die Extremitäten unseres Körpers erstarrt haben ...[5]

Und im Oktober sucht er im Gedanken an den Eislauf Trost zu finden über die bevorstehende Hochzeit seiner Schwester Cornelia mit Schlosser:

> ... Das iunge Paar – wird in 14 Tagen Hochzeit machen ... und ich sehe einer fatalen Einsamkeit entgegen. Sie wissen was ich an meiner Schwester hatte – ... Indeß will den Winter meiner Schlittschue mich freuen ...[6]

Am 2. Januar des nächsten Jahres erleidet Goethe einen Eisunfall, den er Johanna Fahlmer drastisch schildert:

---

5 Brief v. Juli 1773 (WA IV 2,96).

6 Brief an Johanna Fahlmer v. 18.X.1773 (Br. I/207).

> Heut war Eis Hochzeitstag! Es mußte gehn, es krachte, und bog sich, und quoll, und finaliter brachs, und der Hr. Ritter paddelten sich heraus wie eine Sau ...[7]

Leider sind Goethes Briefe an Lavater aus dieser Zeit nicht erhalten. Der Eislauf war mit Sicherheit ein Thema zwischen ihnen: Lavater schickt Goethe am 7. Januar 1774 eine emphatische Ode, die beginnt:

> Ha! wie fliegt dir mein Blick mit
> hochaufschlagender Brust nach,
> Wenn auf dem glashellen Eis dein
> Fuß den Geniusflug fliegt ...

Und am 25. Januar schreibt Lavater:

> ... Überhaupt dürst' ich in meinen Phantasiestunden nach nichts so kindisch, wie nach unsichtbarer Beschauung und Überschattigung meiner Freunde. Ich möchte mir sie ganz vorstellen, wie sie liegen, aufstehen,

---

7 Brief v. gleichen Tage (WA IV 2,141: dort datiert Ende Januar)

> sich anziehen, schreiben, schmauchen, essen, faulenzen, phantasieren, lieben, geliebt werden, auf den Schlittschuhen schweben ...[8]

Am 22. Januar 1774 plant Goethe das berühmt gewordene Eislaufschauspiel auf den Rödelheimer Wiesen. Er lädt dazu die Mutter der geliebten Maximiliane, Sophie v. La Roche ein:

> Ich bin im Stande, Ihnen ein groses Schauspiel zu geben, wenn Sie mir den morgenden Nachmittag schencken wollen ... Meine Mutter wird dabey sein und wir wollen die bübgen mitnehmen.
> Grüßen Sie die liebe Max.[9]

---

8 HA Briefe an Goethe I/20 und 23.

9 Brief v. 21.I.1774 (WA IV 2,140). – Die „bübgen“: die Jungen, die Maxis Mann Peter Anton Brentano in die Ehe gebracht hatte: Anton, Franz, Dominikus. Goethe hoffte, daß zu ihrer Betreuung auch Maxi mitkommen würde und ein Wiedersehen außerhalb des durch Verbot des Ehemannes für ihn gesperrten Hauses möglich werde.

Von diesem Tage besitzen wir mehrere Schilderungen. Eine stammt von Bettina Brentano (der Tochter der Maximiliane). Goethe hatte sie um die Wiedergabe der Erzählungen seiner Mutter gebeten:

> ... an einem hellen Wintertag, an dem Deine Mutter Gäste hatte, machtest Du ihr den Vorschlag, mit den Fremden an den Mein zu fahren: „Mutter, sie hat mich ja doch noch nicht Schlittschue laufen sehen ..." „Ich zog meinen karmesinrothen Pelz an, der einen langen Schlepp hatte und vorn herunter mit goldnen Spangen zugemacht war, und so fahren wir denn hinaus: da schleift mein Sohn herum wie ein Pfeil zwischen den andern durch, die Luft hatte ihm die Backen roht gemacht ... wie er nun den karmesinrothen Pelz sieht, kommt er herbei an die Kutsch ... Ey Mutter, Sie hat ja doch nicht kalt im Wagen, geb Sie mir Ihren Sammetrock! – Du wirst ihn doch nit gar gar anziehen wollen? – freilich will ich ihn anziehen, ich zieh halt meinen prächtigen warmen Rock aus,

> er zieht ihn an, schlägt die Schleppe über den Arm, und da fährt er hin, wie ein Göttersohn auf dem Eiß. Bettine, wenn Du ihn gesehen hättest!! – So was Schönes giebts nicht mehr – ich klatschte in die Hände vor Lust! mein Lebtag sehe ich noch, wie er dem einen Brückenbogen hinaus und dem andern wieder herein lief, und wie da der Wind ihm den Schlepp lang nach hinten trug ... (Maximiliane) war ... mit auf dem Eiß, der wollte er gefallen.[10]

Dieses Geschehnis hat Goethe auf Grund von Bettinens Schilderung und eigener Erinnerung dann in *Dichtung und Wahrheit* aufgenommen:

> Ein sehr harter Winter hatte den Main völlig mit Eis bedeckt und in einen festen Boden verwandelt. Der lebhafteste, notwendige und lustiggesellige Verkehr regte sich auf dem Eise. Grenzenlose Schlittschuhbahnen, glattgefrorene weite Flächen wimmelten von bewegter Versamm-

10 Brief v. 28.XI.1810 (HA Briefe an Goethe II/74).

lung. Ich fehlte nicht vom frühen Morgen an und war also, wie späterhin meine Mutter, dem Schauspiele zuzusehen, angefahren kam, als leichtgekleidet wirklich durchgefroren. Sie saß im Wagen in ihrem roten Sammetpelze, der auf der Brust mit starken goldenen Schnüren und Quasten zusammengehalten, ganz stattlich aussah. Geben Sie mir, liebe Mutter, ihren Pelz! rief ich aus dem Stegreife, ohne mich weiter besonnen zu haben, mich friert grimmig. Auch sie bedachte nichts weiter; im Augenblicke hatte ich den Pelz an, der, purpurfarb, bis an die Waden reichend, mit Zobel verbrämt, mit Gold geschmückt, zu der braunen Pelzmütze die ich trug, gar nicht übel kleidete. So fuhr ich sorglos auf und ab; auch war das Gedränge so groß, daß man die seltene Erscheinung nicht einmal sonderlich bemerkte, obschon einigermaßen: denn man rechnete sie mir später unter meinen Anomalien im Ernst und Scherze wohl einmal wieder vor.[11]

11 X/739.

Auch Sophie v. La Roche, gefeierte Schriftstellerin jener Zeit, hat den Tag in ihrem Roman *Rosaliens Briefe* geschildert:

> Wir mußten ein gutes Stück vor die Stadt hinausfahren, bis wir endlich an der Landstraße still hielten und lang einer Mauer über gefrorenen Boden gingen. Am Ende ... hörten wir auf einmal Musik und lautes Rufen. Zugleich flogen über zehn Eisläufer gegen uns, die uns dann die Hand boten über den Graben zu kommen, und uns auf dem zubereiteten Platz zu der übrigen Gesellschaft zu setzen ... Bei den kühnen Schlittschuhläufern waren die Söhne der angesehensten Familien, junge Engländer, Offiziere und einer der seltensten und vortrefflichsten Köpfe Deutschlands ... Mich freute es innig, das jugendliche Feuer so vieler schönen Leute, so munter, in tausendfachen Wendungen in dem Reiche des Frosts umhereilen zu sehen. Es schien mir ein edler und schuldloser Genuß ihrer Kräfte, ihres Muts und ihrer Geschicklichkeit.

Auch der Bräutigam der Heldin des Romans nimmt an dem Eislauf teil, und Rosalie rät ihm:

> ... er soll den Blick und die Haltung des Leibes an Werther beobachten, wenn er den Schritt über die ganze Fläche trug.

Das nächste Zeugnis greift auf das Eislauffest zurück und berichtet von neuen Freuden. Es ist der Brief an Betty Jacobi, Ehefrau seines Freundes Friedrich Jacobi:

> Eine mächtige Kälte zieht durchs Fenster bis hierher an mein Herz, zu tausendfacher Ergözung. Ein groser Wiesenplan draussen ist überschwemmt und gefroren. Gestern trugs noch nicht, heut wird gewagt. Vor zehn Tagen ohngefähr waren unsere Damen hinausgefahren unsren Pantomimischen Tanz mit anzusehen. Da haben wir uns prästirt. Gleich darauf thaut es, und iezt wieder Frost. Halleluja! Amen![12]

---

12 Brief v. Anfang Februar 1774 (Br. I/218). – Die Eislaufszene ist auch mehrfach von Malern dargestellt worden, so von Kaulbach und Vogel.

An Gottfried August Bürger schreibt Goethe am 12. Februar 1774:

> Ich wollt Ihnen schon lang einmal schreiben, und die Paar Stunden, die ich mit Ihrem Freunde Desdorp zugebracht habe haben mich determiniert ... Desdorp ist mit mir auf dem Eise gewesen, mein Herz ist mir über der holden Seele aufgegangen ...[13]

Nicht nur Freunde also, auch Besuch wurde zum Eislauf animiert.

Im September 1774 zeigte Klopstock an,

> ... daß er nach Karlsruhe zu gehen und daselbst zu wohnen eingeladen sei; er werde zu bestimmter Zeit in Friedberg eintreffen, und wünsche, daß ich ihn daselbst abhole ...

Man verfehlte sich zwar in Friedberg, da Klopstock sich verspätet hatte, aber dann kam es doch zu seinem Besuch in Frankfurt:

---

13 Br. I/218.

Von poetischen und literarischen Dingen hörte man ihn selten sprechen. Da er aber an mir und meinen Freunden leidenschaftliche Schlittschuhläufer fand, so unterhielt er sich mit uns weitläufig über diese edele Kunst, die er gründlich durchdacht und was dabei zu suchen und zu meiden sei, sich wohl überlegt hatte. Ehe wir jedoch seiner geneigten Belehrung teilhaft werden konnten, mußten wir uns gefallen lassen, über den Ausdruck selbst, den wir verfehlten, zurecht gewiesen zu werden. Wir sprachen nämlich auf gut Oberdeutsch von Schlittschuhen, welches er durchaus nicht wollte gelten lassen: denn das Wort komme keineswegs von Schlitten, als wenn man auf kleinen Kufen dahinführe, sondern von Schreiten, indem man, den Homerischen Göttern gleich, auf diesen geflügelten Sohlen über das zum Boden gewordene Meer hinschritte. Nun kam es an das Werkzeug selbst; er wollte von den hohen hohlgeschliffenen Schrittschuhen nichts wissen, sondern empfahl die niedrigen,

> breiten, flachgeschliffenen friesländischen Stähle, als welche zum Schnellaufen die dienstlichsten seien. Von Kunststücken, die man bei dieser Übung zu machen pflegt, war er kein Freund. Ich schaffte mir nach seinem Gebot so ein Paar flache Schuhe mit langen Schnäbeln, und habe solche, obschon mit einiger Unbequemlichkeit, viele Jahre geführt.[14]

Bereits der November des Jahres 1774 brachte neue Eislauffreuden, die uns bezeugt sind.

Um diese Zeit erhielt er von seiner Jugendfreundin Maria Katharina Crespel eine Rarität geschenkt: das Stammbuch eines gewissen Johann Peter de Reyniers vom Jahre 1680:

> Ein teures Büchlein siehst du hier
> Voll Pergament und weiß Papier,
> Das wohl schon an die hundert Jahr
> Zum Stammbuch eingeweihet war ...
> Drei, vier Blätter die sind beschrieben,
> Die andern sind auch weiß geblieben...

---

14 *Dichtung und Wahrheit* X/713 ff.

Und Goethe schreibt als erstes hinein die Schilderung eines lustigen Abends:

> Da es nach Christ ein tausend Jahr
> Sieben hundert und vier und siebzig
> war,
> Zwei Tage nach Martini Tag,
> Abends mitm achten Glockenschlag...

(also der 13. November 1774) – und Goethe fügt dem übermütigen Berichte an:

> Den Abend drauf, nach Schritt-
> schuhfahrt,
> Mit Jungfräulein von edler Art,
> Staats-Kirschen-Tort, gemeinem Bier,
> Den Abend zugebracht allhier...[15]

Über jenen „Abend drauf" (14.XI.) wissen wir Näheres. Goethe schreibt an Johannes Lorenz Böckmann:

> Ich komme vom Eis ... Ich bin sehr müde; ich habe Bahn gemacht, gekehrt mit den Meiningen ... Martini

15 II/223.

Abend hatten wir das erste Eis, und vom Sonntag auf den Montag Nachts fror es so stark, daß ein kleiner Teich, der sehr flach vor der Stadt liegt, trug. Das entdeckten Zweye Morgens, verkündigten mirs, da ich sogleich Mittags hinauszog, Besitz davon nahm, den Schnee wegkehren, die hindernden Schilfe abstosen lies, durch ungebahnte Wege durchsezzte, da mir denn die anderen mit schaufel und Besen folgten und ich selbst nicht wenig Hand anlegte. Und so hatten wir in wenig Stunden den Teich umkreiset und durchkreuzt. Und wie weh thats uns, als wir ihn bey unfreundlicher Nacht verlassen mussten ...

Haben Sie meine Schrittschue machen lassen? ich habe niemand finden können, dem ich die Verfertigung hätte anvertraut.[16]

An Johanna Fahlmer berichtet er am 15. November:

---

16 Brief v. 14./15.XI.1774 (WA IV 2,203).

> Gestern Täntgen war ich auf dem Eise, das nun unaufhaltsam dahinfließt, von 1 Uhr bis 6 ...[17]

und an Kestner (und Lotte) schreibt er am 21. November fröhlich:

> Heut gehts aufs Eis Ihr Lieben
>
> Ade.[18]

In diese Zeit wird von der Literatur auch das Gedicht „Der Musensohn“ gesetzt, in dem es heißt:

> Und kommt der Winter wieder,
> Sing ich noch jenen Traum.
> Ich sing ihn in die Weite,
> Auf Eises Läng' und Breite,
> Da blüht der Winter schön! ...[19]

Am 11. Dezember 1774 und fortgesetzt am 13.-15. Dezember in Mainz kam es zu schick-

---

17 WA IV 2,204.

18 Br. I/248.

19 I/22. – Trunz (HA I/643) vermutet die Entstehung vor November 1799.

salhaften Tagen für Goethe. Am Elften – einem Sonntag – saß er „bei gesperrtem Licht" in seinem Zimmer, als ein Herr bei ihm eintrat, der sich v. Knebel nannte. Nach kurzem Gespräch erfuhr Goethe,

> daß er ... in Weimar angestellt sei. ... Wie ich mich ... nach Personen und Gegenständen erkundigte ... versetzte der Ankömmling gar freundlich ... soeben lange der Erbprinz ... mit dem Prinzen Konstantin in Frankfurt an, welche mich ... zu kennen wünschten.[20]

Goethe suchte mit Knebel die Prinzen im „Rothen Haus" auf, und so kam es zur ersten Begegnung mit Karl August, demnächst (14.VI.1775) Herzog von Sachsen-Weimar. Das Gespräch betraf alle möglichen Themen, ausgehend von Mösers „Patriotischen Phantasien":

> bei diesen Gesprächen ... schob sich eine bedeutende Materie in und über die andere, manches Thema klang

20 *Dichtung und Wahrheit* X/701 f.

> nur an ... so ward, weil der Aufenthalt der jungen Herrschaften in Frankfurt nur kurz sein konnte, mir das Versprechen abgenommen, daß ich nach Mainz folgen und dort einige Tage zubringen sollte, welches ich denn herzlich gern ablegte ...[21]

Die Prinzen sollten nämlich auf ihrer Vorstellungsreise sich in Mainz dem Kurfürsten und Erzkanzler des Reiches vorstellen. Goethe folgte. Man wohnte in dem berühmten Gasthof „Zu den drei Reichskronen“:

> Die wenigen Tage des Mainzer Aufenthalts verstrichen sehr angenehm: denn wenn die neuen Gönner durch Visiten und Gastmähler außer dem Hause gehalten wurden, blieb ich bei den Ihrigen, porträtierte manchen und fuhr wohl auch Schlittschuh, wozu die eingefrorenen Festungsgraben die beste Gelegenheit verschafften.[22]

---

21 Das. 704.
22 Das. 710.

Noch fast ein Jahr dauerte es, bis Goethe Frankfurt verließ. Aber auch im laufenden Winter haben wir Hinweise auf Eislauffreuden. Am 23. Dezember kündigt er Heinrich Christian Boie, dem Herausgeber des „Göttinger Musenalmanachs", versprochene Gedichte an, und dann heißt es:

> Es ist wieder Eis Bahn, adieu ihr Musen, oder mit hinaus auf die Bahn, wohin ihr Klopstocken folgtet ...[23]

Seine innere Lage in dem Jahr des Wartens, dem Lili-Jahr, verdeutlicht er seinem Freunde Friedrich Jacobi in einem Eislauf-Bild:

> ... mir ist als wenn ich auf Schrittschuen zum erstenmal allein liefe und dummelte auf dem Pfade des Lebens und sollte schon um die Wette laufen und das wohin all meine Seele strebt ...[24]

---

23 WA IV 2,220.
24 WA IV 2,247.

Am 12. Oktober 1775 erfolgte durch den Herzog Karl August, der nach Vermählung mit der Prinzessin Luise von Hessen-Darmstadt durch Frankfurt kam, die erwartete förmliche Einladung. Am 7. November morgens fünf Uhr langte Goethe in Weimar an, das nun der Mittelpunkt seines Lebens wurde. Mit dem Dichter verließ der Eisläufer Goethe seine Heimatstadt. Nur einmal noch, bei Rückkehr von der zweiten Schweizer Reise, hat er mit dem Herzog sich in dieser Gegend dem Eislauf hingegeben – in Homburg auf dem Schloßteich (wo die beiden sich alle Mühe gaben, am Hofe des Landgrafen „Schrittschu fahren einzuführen“) und wahrscheinlich auch in Frankfurt.

II.

IN WEIMAR

Als Goethe nach Weimar kam, brachte er dort sofort seine Eislaufbegeisterung ein. Der ehrsamen Weimarer Bürgerschaft und nicht minder dem Hof und den Adelskreisen war das Eislaufen bisher eher ein Ärgernis, toleriert höchstens als Vergnügen der untersten Kreise. Es war noch keine fünf Jahre her, als die Schulordnung des „Gymnasiums illustre" von 1770 den Schülern das Schlittschuhlaufen verboten hatte. Goethe überrannte alle Bedenken und der Herzog folgte ihm mit Begeisterung.

Goethe hat sich – offenbar auf Grund einer noch in Frankfurt gemachten Bestellung – sofort Schlittschuhe nachschicken lassen: schon am 11. November notiert der Diener Seidel im Rechnungsbuch die Ausgabe für drei

Paar und für die Abholung bei der Poststation Erfurt.[25]

Mitte Dezember 1775, jedenfalls vor dem 21.XII., schreibt Goethe am Schreibtisch der Frau v. Stein an den Arzt Zimmermann:

> Heut den ganzen Tag auf dem Eis...,[26]

und am 21./22.Dezember in einem gemeinsamen Brief mit Wieland an Lavater:

> Nach einem herrlichen Wintertag, den ich meist in freyer Luft Morgens mit dem Herzog, Nach Mittag mit Wielanden zugebracht habe, ziemlich müd und ausgelüfftet von der Eisfahrt siz ich bey Wieland und will sehn was ich an dich zusammenstopple...[27]

Am 23. Dezember ritt eine lustige Gesellschaft von Weimar ab, außer Goethe Kammerrat v. Kalb, Hildebrand, v. Einsiedel und Bertuch, um die Weihnachtstage im Forsthaus

---

25 Diem, C.: *Körpererziehung bei Goethe* S. 296.
26 Steiger, R.: *Goethe von Tag zu Tag* Bd. I S. 765.
27 Br. I/295.

Waldeck bei Bürgel zu verleben (das herzogliche Paar feierte Weihnachten am Gothaer Hofe). Goethe berichtet dem Herzog in einem langen Brief am 24. Dezember, daß bei Tagesanbruch „fatales Tauwetter" den ganzen Ton des Tages verstimmt habe. Aber dann wurde doch (offenbar nach Jena) um Schlittschuhe geschickt, und schon „früh um eilfe" fährt der Brief fort:

> Sontags früh eilfe. Unser Bote ist noch nicht da, der Schrittschue mitbringt, ihm sind tausend Flüche entgegen geschickt worden, wir sind in der Gegend herumgekrochen und geschlichen ...
>
> Der Bote ist da, und nun aufs Eis. Seegen zum Morgen und Mahlzeit, l. gndger Herr – – Die Schrittschue sind vergessen, ich habe gestrampft und geflucht, und eine Viertelstunde am Fenster gestanden und gemault, nun laben sie mich mit der Hoffnung, es käm noch ein Bote nach. Muß also ohne geschritten zu Tische – Abends viere. Sind gekommen, habe gefahren und mir ists wohl.[28]

---

28 Br. I/300.

Wer von den Weimarer Freunden sich mit aufs Eis wagte (Goethe hatte für alle Schlittschuhe bestellt[29]) ist nicht sicher zu sagen. Bezeugt ist es nur für Einsiedel.[30]

Unter Goethes und dann auch des Herzogs Einfluß wurde das Eislaufen in Weimar geradezu „zur Wut".[31] Neben dem Herzog wurde der ganze Hof und die Weimarer Gesellschaft von einem wahren Eislauffieber ergriffen. Den Herzog selbst traf man zu gewissen Zeiten Tag für Tag auf der Eisbahn. Auch die scheue, ja timide und auf Förmlichkeiten haltende Herzogin Luise wagte sich auf Goethes und

---

29 Diem a.a.O. S. 295.

30 Brief Bertuch an Karl August v. 24.XII.1775: „Goethe und Einsiedel sind schon seit Tisch auf dem Eise und schreiten mit aller möglichen Grazie ..." (Biedermann-Herwig: Bd. I/174).

31 So schon Goethes erster Biograph, der Engländer Lewis im Jahre 1855. Unterstützt wurde Goethe von dem Husarenrittmeister v. Lichtenberg, den der Herzog 1774 aus Preußen nach Weimar berufen hatte. Dieser war in Holland ein Meister des Eislaufs geworden (Bode, W.: *Goethes Leben* Bd. III S. 258).

des Herzogs Zureden aufs Eis[32], wo sie sich gelehrig und gewandt erwies. Es liefen die Herren des Hofes, Knebel an der Spitze, nicht weniger die Damen, die sich in Kaleschen hinausbringen ließen. So auch Frau v. Stein, von der die – mißgünstige – Gräfin Görtz im Februar 1778 ihrem Mann berichtet:

> Die verrückte Frau v. Stein verbringt den ganzen Tag auf dem Eis, von morgens neun bis ein Uhr, nachmittags von drei bis sechs oder sieben: das nenne man „Geist haben"! Bald wird sie sich nur noch auf Schlittschuhen sehen lassen, eine so lächerliche Figur sie dabei macht.

Oft war auch die schöne Schauspielerin Corona Schröder Goethes Partnerin auf dem Eis.

32 Welchen Wert Karl August darauf legte, daß seine Gemahlin sich im Eislauf betätigte, zeigen zwei Briefe: „,... thue mir den Gefallen u. fange Schrittschu fahren wieder an (Mannheim, 22.XII.1779) und: Ich bin so starrköpfig, so hartsinnig dich noch dazu zu bitten, mir das regal zu machen ... um daß ich zu hause ... die Freude hätte, dich laufen zu sehen ..." (Frankfurt, 4.I.1780).

Ja sogar der durch Goethes Vermittlung als Generalsuperintendent und damit höchster evangelischer Geistlicher des Herzogtums nach Weimar berufene Herder huldigte nicht nur der neuen Kunst mit einer Ode „Eistanz“:

> Wir schweben, wir wallen auf
> hallendem Meer,
> Auf Silberkrystallen dahin und daher:
> Der Stahl ist uns Fittich, der Himmel
> das Dach,
> Die Lüfte sind heilig und schweben
> uns nach.
> So gleiten wir, Brüder, mit fröhlichem
> Sinn
> Auf eherner Tiefe des Lebens dahin.

Er ergab sich mit seiner Frau Karoline auch selbst den Eislauffreuden, was keine geringe Sensation machte.[33] – Nach Goethes Italieni-

---

33 So fügt die Gräfin Giannini, Oberhofmeisterin der Herzogin, ihrer Zufriedenheit über Herders Berufung zu: „Aber daß derselbe Herder und seine Frau Schlittschuh laufen und daß die Herzogin in ihrer Blindheit und Schwäche dergleichen sogar billigt, trübt meine Freude an der neuen Erwerbung.“ (Brief v. 29.I.1779 – Andreas, W.: *Goethe-Jahrb.* 1943 S. 148).

scher Reise liefen auch seine neue Freundin und spätere Frau Christiane Vulpius, ihr Bruder August Vulpius und später auch sein Sohn August.

Zuerst fand das winterliche Treiben auf einem See im Baumgarten statt.

> Auf Goethes Veranlassung wurde hierzu ein Teich im sogenannten Baumgarten (eine damals herzogliche, später von Bertuch akquirierte Besitzung) erwählt. Es wurde ein transportabel Bretterhäuschen mit einem Windofen ans Ufer gebauet, mehrere Schlittenstühle angeschafft, Damen auf dem Eise spazieren zu fahren. Die Herzoginnen kamen mit ihren Damen hinaus, und viele Herren, selbst Damen, lerneten Schlittschuh laufen. Goethens Bedienter ... erteilte Unterricht.[34]

---

34 Carl v. Stein: *Erinnerungen* (Biedermann-Herwig Bd. I S. 177).

Eislebens Lied

Sorglos über die Fläche weg,
Wo vom kühnsten Wager die Bahn
Dir nicht vorgegraben du siehst,
Mache dir selber Bahn! —
Stille, Liebchen mein Herz!
Kracht's gleich, bricht's doch nicht,
Bricht's gleich, bricht's nicht mit dir!
G.

Goethe: 'Eislebenslied'
Handschrift in der 'Ersten Weimarer Gedichtsammlung'

Der Diener Philipp Seidel, schon ab 1772 im Großen Hirschgraben als Lehrer von Goethes Schwester Cornelia tätig, dann von Goethe nach Weimar mitgenommen und sein langjähriger Vertrauter, hatte seine Eislaufkenntnisse in Frankfurt erworben, zumal er in allem Goethe nachzuahmen bestrebt war. Aber auch Goethe selbst betätigte sich als Lehrer.[35] Als reizende Illustration haben wir Goethes ermutigendes „Eis-Lebens-Lied", im ersten Weimarer Winter entstanden, im Februar in Wielands Teutschem Merkur erschienen und später mit neuer Überschrift in die Gesammelten Werke aufgenommen:

Mut

Sorglos über die Fläche weg,
Wo vom kühnsten Wager die Bahn
Dir nicht vorgegraben du siehst,
Mache dir selber Bahn!

---

35 So für den jungen Fritz v. Stein, den er 1783 (bis 1786) in sein Haus aufgenommen hatte, so noch 1796 für Max Jacobi, den Sohn seines Düsseldorfer Freundes, den er einige Tage zum Erlernen der Kunst mit aufs Eis nahm (Brief v. 26.XII. an Vater Jacobi: Er hat ... auch einen Versuch auf Schrittschuh gemacht, der nicht übel gelungen ist" WA IV 11,295).

Stille, Liebchen, mein Herz!
Krachts gleich, brichts doch nicht!
Brichts gleich, brichts nicht mit dir![36]

Später wurden für den Eislauf die dem Baumgarten benachbarten Schwanwiesen unter Wasser gesetzt, auch auf der gewundenen, waldumgebenen Ilm zwischen Weimar und Tiefurt wurde, was allerdings nur selten möglich war[37], Eis gelaufen. Bei seinen langen Aufenthalten in Jena lief Goethe, oft mit seinem „Urfreund" Knebel, der ein tüchtiger Läufer war, auf der Saale.

Goethe übernahm auch weitgehend das Arrangement der Eisfeste, die nun bei jeder Gelegenheit, besonders auf den Schwanseewiesen, gegeben wurden. Schon zum Frühstück war man auf dem Eis, allein oder zu

---

36 I/48. Gelegentlich brach es sehr wohl, und so mußte zum Beispiel im Tagebuch am 17.I.1777 notiert werden: „Ins Wasser gefallen" (ErgBd. Tgb. S. 33).

37 Brief an Frau v. Stein v. 15.I.1781 (Br. I/560): „Wenn Sie auf der Ilm fahren wollen, es wird Bahn gekehrt. Thun Sies um der Seltenheit willen."

zweit oder in Gesellschaft, und blieb dort oft viele Stunden bis zu abendlichen Konzerten mit Illuminationen und Feuerwerk. Zur Fastnachtszeit lief man in Maske und veranstaltete großen Mummenschanz. Die lange Folge der Eislauffeste aufzuzeichnen, die mit einem Picknick auf dem Eis schon am 16. Januar 1776 begannen, würde zu weit führen.[38] Es mag genügen, zwei Beispiele aus Schilderungen von Zeitgenossen zu geben.

Am 16. Februar 1778 schreibt der Hofmusiker Johann Friedrich Kranz an die Mutter Goethe:

> Neues wüßte ich Ihnen nichts zu beschreiben, als daß der Geheime Legationsrat dann und wann mit den Herrschaften Abends Schlitt-Schule (!) läuft, und zwar en masque. Die Herzoginnen, gnädige Frauen und Fräuleins lassen sich im Schlitten schieben. Der Teich, welcher nicht klein

---

38 Bei Diem (a.a.O.) sind Goethes Eistage – auch in Auswertung des Hoffourierbuches und der Rechnungen für die Kosten der Eisbahn pp-sorgfältig zusammengestellt.

> ist, wird rund um mit Fackeln, Lampen, Pechpfannen erleuchtet. Das Schauspiel wird auf der anderen Seite mit Hoboisten-Janitscharen-Musik; auf der andern mit Feuerrädern, Racketen und Mörsern vervielfältigt. Es dauert oft 2-3 Stunden.[39]

Karl Wilhelm v. Lyncker erzählt in seinen Erinnerungen aus der Zeit um 1780, daß er mit andern Knaben (nur zweimal in der Woche, „um unsere Lehrstunden nicht zu sehr zu vernachlässigen“) auf dem Eis zu allerlei Knabenlustbarkeiten erscheinen durfte:

> Das Schlittschuhfahren war schon in den ersten Regierungsjahren des Herzogs Sitte und zu einer fortlaufenden Hofvergnügung geworden ... Goethe, der es in seiner Vaterstadt erlernt hatte, fand auch viel Gefallen daran. Der Teich im Baumgarten, welcher damals noch der Herrschaft gehörte,

39 Bode, W.: *Goethe in vertraulichen Briefen seiner Zeitgenossen* Bd. I/225; siehe Br. I/1099 Anm. zu S. 560.

späterhin aber von dem Legationsrat Bertuch erkauft wurde, benutzte man zu dieser Kunst. Es ward ein Häuschen darauf errichtet und allen Honorationen der Zutritt gewährt. Der Herzog selbst fuhr eine Zeitlang fast täglich; auch die regierende Herzogin, die Frau v. Stein und mehrere andere Damen erlernten es, und es war eine Freude, die Durchlauchtigste Frau mit vollem Anstand über das Eis schweben zu sehen. Die Korona Schröter hatte viel Fertigkeit darin erlangt; ihre schöne Figur nahm sich dabei vortrefflich aus. Mancherlei Frühstücke wurden dabei teils von den Herrschaften, teils von Andern vom Stande gegeben.

Als aber später hier die Schwanseewiesen überschwemmt wurden, gab der Herzog dort größere Feste, sogar Eis-Maskeraden und Illuminationen, denen die Durchlauchtigsten Damen und der Adel beiwohnten ... Der Herzog, sowie Goethe, ließen uns Kunststücke erlernen. Wir mußten nämlich in vollem Schlittschuh-Fahren Äpfel

> mit bloßen Degenspitzen aufspießen, über Stangen springen ... Bei einer nächtlichen Maskerade ... erhielten wir Teufelsmasken und mußten die Damen, welche nicht selbst Schlittschuh fuhren, auf den Schlitten zwischen den erleuchteten Pyramiden und feuerspeienden Raketen und Schwärmern herumkutschieren. Auf unsern mit Teufelshörnern versehenen Mützen waren Schwärmer angebracht, welche die vorbeifahrenden Herren mit brennenden Lunten anzündeten und somit ein fortlaufendes Feuer bewirkten.[40]

Belustigend ist der Bericht der Gräfin Görtz an ihren Mann (der zur Weimarer Fronde gegen Goethe gehörte) über die Schlittschuhpartien und kostspieligen Feuerwerke, die der „unvermeidliche“ Goethe veranstaltete. Zu dem großen Eisfest, bei dem ein Teil der Läufer als Teufel verkleidet war und das die Gesellschaft mit Frühstück, Mittag- und Abend-

---

40 Scheller: *Am Weimarischen Hofe* S. 80 f.; auch abgedruckt bei Pleticha, H.: *Das klassische Weimar* (dtv dokumente) S. 85.

essen dreizehn Stunden auf dem Eis fand, hatte man sie nicht eingeladen. Einem scharfen Tadel gegen die ganze Unternehmung fügte sie zu, es sei ihr gerade recht gewesen, nicht gebeten worden zu sein. So im Brief vom 4. Februar 1778. Aber als sie nur 14 Tage später einem Eisfest – allerdings ohne Mummenschanz – beiwohnen konnte, erzählt sie, daß sie sich glänzend amüsiert habe, nur die Tabakspfeifen hätten sie schockiert, und Goethe, der wie ein Läufer im Schachspiel gekleidet gewesen und zum Schluß betrunken gewesen sei.[41]

Es verbinden sich hiernach bei Goethe Winter und Eislauf vorwiegend mit heiterer Stimmung, ja oftmals Ausgelassenheit, aber auch Besinnliches kommt auf:

> Diese Woche viel auf dem Eis, in immer gleicher fast zu reiner Stimmung. Schöne Aufklärung über mich selbst ... Vorahndung der Weisheit.[42]

---

41 Brief v. 17.II.1778. Andreas, W.: *Goethe-Jahrb.* 1943 S. 244.

42 Tagebuch Anfang Februar 1778 (ErgBd. Tgb. S. 59).

Am 17. Januar 1778 erreichte Goethe und den Herzog auf dem Eis eine schreckliche Nachricht:

> Ward Christel v. Laßberg in der Ilm vor der Flosbrücke unter dem Wehr von meinen Leuten gefunden. sie war Abends vorher ertruncken. Ich war mit dem Herzog auf dem Eis. Nachmittags beschäfftigt mit der Todten die sie herauf zu Frau v. Stein gebracht hatten. Abends zu den Eltern.[43]

In Sichtweite von Goethes Gartenhaus hatte die junge Hofdame aus Liebeskummer den Tod gesucht. Wenn es stimmt, daß sie bei ihrem Freitod *Die Leiden des jungen Werther* in der Tasche hatte, mußte dies Goethe noch einmal besonders erschüttern. Am nächsten Tage weist das Tagebuch aus:

> Knebel blieb bey mir die Nacht. Viel über Christel Todt. Dies ganze Wesen dabey ihre letzten Pfade pp. In stiller

---

43 Das. S. 58.

Winterliche Mondnacht am Schwansee bei Weimar
Kohle/Kreidezeichnung von Goethe um 1777

> Trauer einige Tage beschäfftigt um die Scene des Todts...[44]

Und wieder einen Tag später warnt er Frau v. Stein:

> ... schonen Sie sich und gehn nicht herunter. Diese einladende Trauer hat was gefährlich anziehendes wie das Wasser selbst ...[45]

Oft war die Eisbahn Ort erfreulicher Begegnungen, ja auch neuer Bekanntschaften. So lernte Goethe auf dem Eis den Botaniker August Carl Batsch kennen:

> ... kehrte er nach Weimar zurück, wo ich ihn denn, im harten pflanzenfeindlichen Winter, auf der Schlittschuhbahn, damals dem Versammlungsort guter Gesellschaft, mit Vergnügen kennenlernte, seine zarte Bestimmtheit und ruhigen Eifer gar bald zu schätzen wußte, und in freier Bewegung mich mit ihm über höhere

---

44 Das.

45 Brief v. 19.I.1778 WA IV 3,208.

> Ansichten der Pflanzenkunde und über die verschiedenen Methoden dieses Wissen zu behandeln, freimütig und anhaltend besprach.[46]

Batsch, unter Goethes Mithilfe nach Jena berufen und dort Professor der Naturgeschichte, Medizin und Philosophie, gewann in der Folge für Goethe erhebliche Bedeutung: als kompetenter Gesprächspartner in seinen botanischen Studien, als Leiter des neuen botanischen Instituts in Jena, durch seine Sammlungen, besonders aber dadurch, daß er 1793 die Jenaische natuwissenschaftliche Gesellschaft gründete. Nach einem Vortrag bei deren Stiftungsfest im nächsten Jahre trafen sich Goethe und Schiller zu dem berühmt gewordenen Gespräch über die Metamorphose der Pflanzen, das als „Glückliches Ereignis" (Goethe) ihre Freundschaft einleitete.[47]

Das eigene Schlittschuhlaufen hat Goethe allerdings schon recht früh aufgegeben. Zwar

---

46 „Der Verfasser teilt die Geschichte seiner botanischen Studien mit" XVII/70 f.

47 „Glückliches Ereignis" XVI/867.

lesen wir noch aus seinem siebenundvierzigsten Jahr im Brief an Schiller:

> Eine sehr schöne Eisbahn bei dem herrlichen Wetter hat mich abgehalten, Ihnen diese Tage zu schreiben.[48]

Aber man hat Grund zu der Annahme, daß er in seinem fünfzigsten Lebensjahr den aktiven Eislauf aufgegeben hat. Für den 16. Dezember 1799 vermerkt noch einmal sein Tagebuch: „Früh auf dem Eise“.[49] Aber wenige Tage später, vom 2. Januar 1800, datiert der letzte Beleg: ein Brief an Friedrich Jacobi, dessen Wortlaut vielsagend ist:

> Ich erhielt deinen lieben Brief eben als ich mich hatte bereden lassen wieder einmal die Eisbahn zu besuchen, und konnte mich also gleich, unter freyem Himmel, bey schönem Wetter, deines Andenkens erfreuen ...[50]

---

48 Brief v. 5.XII.1796 Briefw. S. 282.
49 WA III 2,275.
50 WA IV 15,4.

Er folgte also nicht seinem Vorbild Klopstock, der erst mit 73 Jahren durch einen Eisunfall gezwungen, auf die Winterfreuden verzichtete, sie in einer letzten Ode noch einmal verherrlichend:

Winterfreuden

Also muß ich auf immer, Krystall der
Ströme dich meiden?
Darf nie wieder am Fuß schwingen
die Flügel des Stahls?
Wasserkothurn, du warest der Heilen-
den Einer: ich hätte
Unbeseelet von dir, weniger
Sonnen gesehn! ... (1797).

Aber die Begeisterung Goethes wie des Herzogs für den Eislauf blieb auch ohne aktive Teilnahme erhalten. So schreibt zum Beispiel im März 1820 der Herzog an ihn, daß er gerade vom Schwansee komme, wo er gewesen sei, um seinen „Enkelchens", zwei kleinen Prinzessinnen, beim Schlittschuhlaufen zuzusehen. Und Goethe antwortet sofort: „Den lieben kleinen gratuliere zur gesunden Bewegung." – Da malte im Jahre 1824 der von Goethe geförderte Maler Friedrich Preller ein Ölbild: „Eislauf auf den Schwanseewiesen" und gab es zur Ausstellung in die Zeichenschule. Karl August ließ sich das Bild holen, schickte es Goethe zu, und es entschied über des Malers künftiges Leben: Er wurde in der Frühe zum „Römischen Haus“ bestellt, wo er Goethe und den Herzog traf – und schon am nächsten Morgen fuhr er mit Karl August nach Antwerpen zu einem zweijährigen Stipendienaufenthalt, dem sich ein weiterer in Italien anschließen sollte.[51]

---

51 Bergmann, C.: *Karl Augusts Begegnungen mit Zeitgenossen* S. 110.

III.

DER EISLAUF IM WERK

Was Wunder, daß sich der Eislauf vielfach in Goethes Werk spiegelt, ja daß er ihm, der im ganzen Leben das Bedürfnis fühlte, sich „figürlich und gleichnisweise auszudrücken“[52], der „all sein Wirken und Leisten immer nur symbolisch angesehen“[53] zu einem wichtigen Symbol wurde. Symbol für das Leben in seinem freudigen Hingleiten, aber auch seiner Unsicherheit, der Gefahr des Sturzes und Versinkens.

Im Anfang des Jahres 1777 hatte Goethe mit der ersten Niederschrift des *Wilhelm Meister*

52 *Dichtung und Wahrheit* X/490.

53 Zu Eckermann am 2.V.1824 (Gespr. E. S. 117).

begonnen.[54] Es ist der „Urmeister“ mit dem Titel „Wilhelm Meisters Theatralische Sendung“, den wir nur deshalb besitzen, weil seine schweizer Freundin Bäbe Schultheß und ihre gleichnamige Tochter eine Abschrift gefertigt haben, die im Jahre 1910 durch einen Zufall ans Licht kam. Zu Ende des 3. Buches[55] rettet Wilhelm eine Theateraufführung dadurch, daß er für einen erkrankten Schauspieler einspringt:

> Wie einer, der mühsam über den gefrornen hockrichten Boden eilt und unsicher auf seinen ledernen Sohlen das glatte Eis betritt, gar bald, wenn er die Schrittschuhe gar untergebunden hat, von ihnen hinweggeführet wird und mit leichtem Fluge das Ufer verläßt, seines vorigen Schrittes und Zustandes auf dem glatten Element vergißt und vor den ungeschickten

54 Frühester Beleg ist die Tagebuchnotiz v. 16.II. 1777: „Im Garten dicktiert an W. Meister“ (ErgBd. S. 35).

55 Den Abschluß des dritten Buches zeigte Goethe Frau v. Stein im Brief v. 12.XI.1782 an (WA IV 6,88).

> herbeigelaufenen Neugierigen auf den Dämmen in ehrenvoller Schönheit dahinschwebet; oder wie Merkur, sobald er die goldnen Flügel umgebunden, über Meer und Erde sich leicht nach dem Willen der Götter bewegt, so schritt auch unser Held in seinen Halbstiefeln berauscht und sorgenlos über das Theater hin.[56]

In Schillers Musen-Almanach für das Jahr 1797 erscheint Goethes Gedicht „Eisbahn", später mit geänderter Überschrift als Schluß der „Vier Jahreszeiten" verwendet:

Winter

Wasser ist Körper und Boden der
Fluß. Das neuste Theater
Tut in der Sonne Glanz zwischen den
Ufern sich auf.

Wahrlich, es scheint nur ein Traum!
Bedeutende Bilder des Lebens
Schweben, lieblich und ernst, über
die Fläche dahin.

---

56 VIII/699.

Eingefroren sahen wir so Jahrhunder-
te starren,
Menschengefühl und Vernunft schlich
nur verborgen am Grund.

Nur die Fläche bestimmt die kreisen-
den Bahnen des Lebens;
Ist sie glatt, so vergißt jeder die nahe
Gefahr.

Alle streben und eilen und suchen
und fliehen einander;
Aber alle beschränkt freundlich die
glättere Bahn.

Alles gleitet untereinander, die
Schüler und Meister,
Und das gewöhnliche Volk, das in
der Mitte sich hält.

Jeder zeigt hier, was er vermag; nicht
Lob und nicht Tadel
Hielte diesen zurück, förderte jenen
zum Ziel.

Euch Präkonen des Pfuschers, des
Meisters Verkleinerer, wünscht ich
Mit ohnmächtiger Wut stumm hier
am Ufer zu sehn.

Lehrling, du schwankest und zauderst
und scheuest die glättere Fläche.
Nur gelassen! du wirst einst noch die
Freude der Bahn.

Willst du schon zierlich erscheinen,
und bist nicht sicher? Vergebens!
Nur aus vollendeter Kraft blicket die
Anmut hervor.

Fallen ist der Sterblichen Los. So fällt
hier der Schüler,
Wie der Meister; doch stürzt dieser
gefährlicher hin.

Stürzt der rüstigste Läufer der Bahn,
so lacht man am Ufer,
Wie man bei Bier und Tabak über
Besiegte sich hebt.

Gleite fröhlich dahin, gib Rat dem
werdenden Schüler,
Freue des Meisters dich, und so
genieße des Tags.

Siehe, schon nahet der Frühling; das
strömende Wasser verzehret
Unten, der sanftere Blick oben der
Sonne das Eis.

Dieses Geschlecht ist hinweg,
zerstreut die bunte Gesellschaft;
Schiffern und Fischern gehört wieder
die wallende Flut.

Schwimme, du mächtige Scholle, nur
hin! und kommst du als Scholle
Nicht hinunter, du kommst doch
wohl als Tropfen ins Meer.[57]

Mit fortschreitender Lebenszeit verdunkelt sich immer mehr die Bedeutung des Eislauf-Symbols.

Zwar sträubt sich Goethe dagegen, den Eislauf mit „Negationen des Lebens" in Verbindung zu bringen. Als ihm im Jahre 1826 der Großneffe von Lessing, der Berliner Maler Karl Friedrich Lessing, als Achtzehnjähriger eine Winterlandschaft zusendet, äußert sich Goethe im Gespräch mit Förster recht unzufrieden:

Wohin führt uns ... Ihr Berliner Maler? In eine Winterlandschaft, und nicht etwa in eine jener heiteren holländischen, wo wir Damen und Herren

57 I/265. – Präkonen: Herolde.

> sich lustig auf spiegelglatter Eisfläche schlittschuhlaufend umhertummeln sehen – oh, ich selbst war zu meiner Zeit ein tüchtiger Schlittschuhläufer – nein! hier führt uns der Maler in eine Winterlandschaft, in welcher ihm Eis und Schnee nicht genug zu sein scheint; er überbietet, oder wir können sagen: er überwintert den Winter noch durch die widerwärtigsten Zugaben ...

Und er zählt die Negationen des Lebens in dem Bilde auf: erstorbene Natur, Barfüßermönche im Schnee, eine schwarzbehangene Bahre mit einer Leiche ...[58]

Aber die Verdüsterung des Symbols überwiegt. Entsagung spielt hinein und die Gefahren des Eislaufs treten in den Vordergrund.

In *Wilhelm Meisters Wanderjahre oder die Entsagenden* hat Goethe die Novelle „Der Mann von fünfzig Jahren" aufgenommen. Er hatte sie schon im Jahre 1803 begonnen, aber erst

---

58 Gespr. II/463.

nach dem letzten schmerzvollen Liebeserlebnis mit Ulrike v. Levethow im Badesommer 1823 in Marienbad schrieb er den Schluß voller Entsagung: nicht der Major, der Mann von fünfzig Jahren, sondern sein Sohn Flavio findet sich auf Liebeswegen mit Hilarie, der Heldin der Novelle:

> Anmutig sollten sie jedoch auf solchen Liebeswegen immer weiter und weiter verlockt werden. Der Himmel klärte sich auf, eine gewaltige Kälte, der Jahreszeit gemäß, trat ein, die Wasser gefroren, ehe sie verlaufen konnten. Da veränderte sich das Schauspiel der Welt vor allen Augen auf einmal; was durch Fluten erst getrennt war, hing nunmehr durch befestigten Boden zusammen, und alsobald tat sich als erwünschte Vermittlerin die schöne Kunst hervor, welche die ersten raschen Wintertage zu verherrlichen und neues Leben in das Erstarrte zu bringen im hohen Norden erfunden worden. Die Rüstkammer öffnete sich, jedermann suchte nach seinen gezeichneten Stahlschuhen, begierig die reine glatte Fläche,

selbst mit einiger Gefahr, als der erste zu beschreiten. Unter den Hausgenossen fanden sich viele zu höchster Leichtigkeit Geübte; denn dieses Vergnügen ward ihnen fast jedes Jahr auf benachbarten Seen und verbindenden Kanälen, diesmal aber in der fernhin erweiterten Fläche.

Flavio fühlte sich nun erst durch und durch gesund und Hilarie, seit ihren frühsten Jahren von dem Oheim angeleitet, bewies sich so lieblich als kräftig auf dem neu erschaffenen Boden; man bewegte sich lustig und lustiger bald zusammen, bald einzeln, bald getrennt, bald vereint. Scheiden und Meiden, was sonst so schwer aufs Herz fällt, ward hier zum kleinen scherzhaften Frevel, man floh sich um sich einander augenblicks wieder zu finden ...

War man den Tag in so rascher Bewegung und dem lebhaftesten Interesse beschäftigt, so verlieh der Abend auf ganz andere Weise die angenehmsten Stunden; denn das hat die Eislust vor allen andern körperlichen

Bewegungen voraus, daß die Anstrengung nicht erhitzt und die Dauer nicht ermüdet. Sämtliche Glieder scheinen gelenker zu werden und jedes Verwenden der Kraft neue Kräfte zu erzeugen, so daß zuletzt eine selig bewegte Ruhe über uns kommt, in der wir uns zu wiegen immerfort gelockt sind.

Heute nun konnte sich unser junges Paar von dem glatten Boden nicht loslösen, jeder Lauf gegen das erleuchtete Schloß, wo sich schon viele Gesellschaft versammelte, ward plötzlich umgewendet und Rückkehr ins Weite beliebt, man mochte sich nicht voneinander entfernen aus Furcht sich zu verlieren, man faßte sich bei der Hand um der Gegenwart ganz gewiß zu sein. Am allersüßesten aber schien die Bewegung, wenn über den Schultern die Arme verschränkt ruhten und die zierlichen Finger unbewußt in beiderseitigen Locken spielten.

Der volle Mond stieg aus dem glühenden Sternenhimmel herauf und vollendete das Magische der Umgebung. Sie sahen sich wieder deutlich und suchten wechselseitig in den beschatteten Augen Erwiderung wie sonst, aber es schien andes zu sein. Aus ihren Abgründen schien ein Licht hervorzublicken und anzudeuten was der Mond weislich verschwieg, sie fühlten sich beide in einem festlich behäglichen Zustande.

Alle hochstämmigen Weiden und Erlen an den Gräben, alles niedrige Gebüsch auf Höhen und Hügeln war deutlich geworden; die Sterne flammten, die Kälte war gewachsen, sie fühlten nichts davon und fuhren dem lang daher glitzernden Widerschein des Mondes, unmittelbar dem himmlischen Gestirn selbst entgegen ...

Und der Entsagungsvolle, der Major, der „Mann von fünfzig Jahren“ (als Goethe die Novelle begann war er vierundfünfzig, als er der neunzehnjährigen Ulrike entsagen mußte fast fünfundsiebzig Jahre), er muß die Schlittschuhe in schlimmer Lage gebrauchen:

> Auf die Nachricht der Überschwemmung beschleunigte er seine Reise, kam jedoch erst nach eingefallenem Frost in die Nähe der Eisfelder, schaffte sich Schrittschuhe, sendete Knechte und Pferde durch einen Umweg nach dem Schlosse, und sich mit raschem Lauf dorthin bewegend gelangte er, die erleuchteten Fenster schon von ferne schauend, in einer tagklaren Nacht zum unerfreulichsten Anschauen ...[59]

Auch in den Briefen Goethes ist die Verdunkelung des Eislauf-Symbols spürbar:

So schreibt er an Sulpiz Boisserée:

> ... die Welt rennt unter einem weg wie der Schrittschuh, man muß sich vorwärts beugen um nur nachzukommen, rückwärts darf man nicht schauen.[60]

---

59 VIII/230-232, 234.

60 Brief v. 17.IV.1817 (Br. III/225).

Bangend um das Leben seiner Schwiegertochter schreibt er an C.L.F. Schultz:

> Ich bin in alles, was erfolgen kann, ergeben ... So fahren wir mit den Unsrigen, auf dieser dünnen Eiskruste auf Stahlschuhen hin und wieder, des Versinkens eines oder des andern täglich gewärtig.[61]

Bis in seine letzten Lebensjahre verwendet Goethe das Eislaufsymbol: Im Jahre 1827 finden wir unter den Epigrammen in „Jahraus, Jahrein" den schlichten Spruch:

> Ohne Schrittschuh und Schellengeläut
> Ist der Januar ein böses Heut.[62]

In einer Sammlung von Betrachtungen und Aphorismen „Über Naturwissenschaft im allgemeinen", die er ein Jahr vor seinem Tode zusammenstellte, befaßt er sich auch mit „Fall und Stoß", der Bewegung der Weltkörper und der Erklärung dafür:

---

61 Brief v. 25.IX.1820 (WA IV 33,261).
62 I/557.

> Fall und Stoß. Dadurch die Bewegung der Weltkörper erklären zu wollen, ist eigentlich ein versteckter Anthropomorphismus, es ist des Wanderers Gang über Feld. Der aufgehobene Fuß sinkt nieder, der zurückgebliebene strebt abwärts und fällt; und immer so fort vom Ausgehen bis zum Ankommen.
>
> Wie wäre es, wenn man ... den Vergleich von dem Schrittschuhfahren hernähme? wo das Vorwärtsdringen dem zurückbleibenden Fuße zukommt, indem er zugleich die Obliegenheit übernimmt, noch eine solche Anregung zu geben, daß sein nunmehriger Hintermann auch wieder eine Zeit lang sich vorwärts zu bewegen die Bestimmung erhält.[63]

Etwa zwei Monate vor seinem Tode antwortet er dem jungen Dichter Melchior Meyr, der ihm seine Gedichte zugesandt hatte, mit einer „Wohlgemeinten Erwiderung“. Die Muse, so

---

63 WA II 11,104. (Erst im Nachlaß aufgefunden).

lesen wir darin, suche „die Gesellschaft des heiter Entsagenden ..., der jeder Jahreszeit etwas abzugewinnen weiß,

der Eisbahn wie dem Rosengarten.[64]

Beides vermochte in einmaliger Weise Goethe, der heiter Entsagende.

Zitate nach der Artemis-Gedenkausgabe mit Band und Seitenzahl, bei Briefen hilfsweise nach der Weimarer Ausgabe; Abteilung, Band und Seitenzahl.

64 Brief v. 19.I.1832 (Br. III/1032 = XIV/401).